Ohrfeige

In Einfacher Sprache

Spaß am Lesen Verlag
www.spassamlesenverlag.de

Text in Einfacher Sprache: Sonja Markowski
Redaktion: Andrea Schmittmann
Umschlagmotiv: Shutterstock
Druck: Melita Press, Malta

ISBN 978-3-944668-33-8

Abbas Khider

Ohrfeige

In Einfacher Sprache

Schwierige Wörter oder Ausdrücke sind unterstrichen. Die Erklärungen stehen in der Wörter-Liste am Ende des Buches.

Inhalt

Vorwort

Ich bin Karim Mensy, geboren und aufgewachsen im Irak. Nach meinem Abitur bin ich geflohen. Nicht etwa wegen der Unruhen. Ich hatte so meine eigenen Gründe. Meine Familie lebt noch immer dort. Obwohl es im Irak ganz schön gefährlich ist. Eigentlich hatte ich mir alles ganz anders vorgestellt. Ich bin nicht dort, wo ich sein will. Mein Leben ist ganz anders, als ich es mir erträumt hatte.

Wie es so weit kommen konnte? Das erzähle ich in diesem Buch.

Gefesselt

Sie gucken ja so ängstlich, Frau Schulz. Als ob meine Ohrfeige Sie betäubt hat. Schauen Sie mal, was ich in meiner Jackentasche habe: eine Rolle Klebeband. Damit fessele ich Ihre Hände an die Armlehnen des Drehstuhls. So. Und dann Ihre Fußgelenke. Fertig. Jetzt klebe ich noch Ihren rot geschminkten Mund zu. Das war's!

Ich merke, dass ich mich entspanne. Erst mal zünde ich mir einen Joint an, ja? Kiffen in einer Behörde, das fühlt sich gut an.

So lebendig habe ich mich schon lange nicht mehr gefühlt. Gefällt Ihnen der Rauch in Ihrem Gesicht nicht? Sie röcheln ja so. Und wie das Klebeband sich wölbt ...

Frau Schulz, endlich ist es so weit. Wir können reden. Ob Sie wollen oder nicht. Sonst haben Sie ja nie Zeit für mich. Also, meine erste Frage: Wie lautet Ihr Vorname? Heißen Sie Sabine oder Anne-Marie? Ach ... ich habe fast vergessen, dass Sie mir nicht antworten können. Aber nicken geht doch, oder?

Mein Name ist Karim. Karim Mensy. Hallo.
Wieder so ein ausländischer Name, den man sich schwer merken kann.

Wissen Sie, wer ich bin? Sie haben viele Akten gelesen. Auch meine. Und dann haben Sie sie wieder weggelegt. Für Sie war ich wahrscheinlich Asylant Nummer 3873 oder so. Unzählige Male habe ich vor Ihrem Zimmer gewartet. Ich habe sogar noch eine Wartenummer in meiner Hosentasche. Sehen Sie, hier!

Ich habe gehofft, dass Sie mir eine Chance geben. Dass Sie Verständnis haben. Doch Sie haben mich immer wieder fortgeschickt. Ihre Sprüche kenne ich auswendig. Immer wieder sollte ich irgendeinen Nachweis erbringen. Und immer wieder musste ich warten, selbst in meinen nächtlichen Träumen.

Sie haben mich gerade nicht erkannt, als ich in Ihr Büro gekommen bin. Oder? Ich habe mich in den letzten Jahren auch ziemlich verändert. Früher war ich mollig und hatte ein unrasiertes Kinn. Jetzt trage ich keinen Bart mehr. Ein muslimischer Mann mit Bart ... das wäre dumm. Dann denken ja alle, ich wäre ein Terrorist. Und sehen Sie? Meine Kleidung ist mir zu weit geworden. Von der harten Arbeit auf der Baustelle habe ich viel abgenommen.

Frau Schulz, ich möchte mich mal in aller Ruhe mit Ihnen unterhalten. Von Mensch zu Mensch. Darum bin ich heute zu Ihnen gekommen. Um Ihnen meine Geschichte zu erzählen.

Brüste

Ich habe Ihnen nie gesagt, was der wahre Grund für meine Flucht aus dem Irak war. Hören Sie gut zu:

Bis zu meinem 14. Lebensjahr war ich ein ganz normaler Junge. Ich hatte eine starke, glatte Brust und eine kräftige Stimme. Schwarze, glänzende Haare. Stechend scharfe Augen wie die eines Raubvogels. Eine geschmeidige und zugleich kraftvolle Gestalt. Stolz lief ich über den Hauptplatz meines Viertels in Bagdad. Barfuß und mit nacktem Oberkörper. Die Sonne schien auf meine braune Haut.

Dann veränderte sich mein Körper. Schultern und Brustkorb wurden breiter. Meine Stimme wurde tiefer. Ich bekam überall Haare. Und ich fing an, mich für Sex zu interessieren. Plötzlich träumte ich von nackten Frauen. Auf der Schultoilette schaute ich mir mit anderen Jungen Nacktfotos an. Wir befriedigten uns selbst.

Und dann begann das größte Drama meines Lebens ...

Eines Tages stand ich unter der Dusche. Ich streichelte mit einer Hand über meinen Oberkörper und erschrak. Es kam mir vor, als wäre meine Brust angeschwollen. Erst machte ich mir nicht so viele

Gedanken darüber. Ich dachte: Vielleicht kommt das von der häufigen Selbstbefriedigung.

Doch in den folgenden Tagen spielte mein Körper verrückt. Mir wuchsen Brüste, Frau Schulz. Echte Brüste. Jeden Tag fühlte ich, wie sie runder und fülliger wurden. Nach wenigen Wochen hatte ich keine harte Männerbrust mehr. Sondern einen echten Frauenbusen.

Ich war geschockt. Ständig lief ich ins Bad, um mich im Spiegel anzuschauen. Ich spürte Abscheu und Angst. War das mein Körper? Ich hatte mich in ein Monster verwandelt.

In der Nacht träumte ich von Dingen, die mir noch mehr Angst machten: Von Männern, die meine Brüste küssen und mich vergewaltigen. Dann schrie ich und wachte nass vom Schweiß auf. Schnell schaute ich in den Spiegel neben meinem Bett. Dort sah ich nicht mein Gesicht. Sondern das meiner Freundin Hayat.

Frau Schulz, ich muss mir eben noch einen Joint drehen. Mir fällt es nämlich nicht leicht, von Hayat zu erzählen. Sie ist der Grund dafür, dass ich mit vielen Dingen im Leben nicht klarkomme. Hayat. Das ist das arabische Wort für „Leben".

Ich lernte meine Hayat kennen, als ich acht war. Sie war fast zwei Jahre älter als ich. Ihre Schönheit bezauberte mich. Sie war zart, aber sie konnte sich gut wehren. Ihre braunen Haare sahen aus wie die Mähne eines edlen Pferdes. Das Weiße in ihren Augen strahlte wie ein Halbmond in einer Sommernacht. Sie hatte eine winzige Nase.

Hayat galt als das reizvollste Mädchen im Bezirk. Doch sie hatte es nicht leicht. Denn sie war taub und stumm. Wir verstanden uns trotzdem prima. Sie sprach mit ihren Händen und Augen. Als Hayat dreizehn wurde, wurde ihr Busen rund. Sie wurde immer weiblicher. Und ich bekam Angst, dass jemand anders sie mir wegnehmen könnte. Alle Männer starrten auf ihren Hintern.

Eines Tages wartete ich vor dem Eisladen auf sie. Wie jeden Tag nach der Schule. Doch Hayat kam nicht. Irgendwann entschied ich mich, nach ihr zu suchen. Ich klopfte an die Tür ihres Elternhauses. Doch niemand öffnete die Tür. Ich schaute durchs Fenster. Nichts. Das Haus war leer.

Erst am nächsten Abend erfuhr ich, dass Hayats Familie umgezogen war. Wohin?
Das wusste keiner. Warum? Das wussten alle. Nur ich nicht.

Erst Tage später erzählte mir jemand die grausame Geschichte:

Hayat war zu drei Männern ins Auto gestiegen.
Ein Nachbar-Mädchen hatte das beobachtet. Die Männer sind wohl mit Hayat an den Rand unseres Viertels gefahren. Dort haben sie sie vergewaltigt und ermordet. Ihre Leiche haben sie einfach im Staub liegen lassen.

Hayats Eltern wollten nicht, dass die Nachbarn vom Mord erfahren. Sie schämten sich. Darum haben sie einen Tag später ihre Koffer gepackt und sind weggezogen. Niemand weiß, wohin.

Ich habe mir oft vorgestellt, wie Hayat gelitten hat. Immer wieder träumte ich von ihren letzten Momenten.

Dass sie vor der Schule spielt, die sie als Taubstumme nicht besuchen darf.
Dass sie ein hübsches Kleid mit Blumenmuster trägt.
Dass wir zusammen in den Park gehen, in dem sich ein kleiner See befindet.
Dass ich ihr einen Kuss auf die Wange gebe.
Dass sich dann unsere Wege trennen und Hayat danach nie das Haus ihrer Eltern erreicht.

Ich träume vom schwarzen Auto, das ihr den Weg versperrt.
Von den Männern, die sie mit einem schönen Buch ins Auto locken.
Ich sehe vor mir, wie die Männer Hayat bewusstlos schlagen.

Oft erwache ich zitternd aus diesem Traum.

Liebe Frau Schulz ... Manchmal denke ich, Hayat wollte mich für den Rest meines Lebens begleiten. Darum hat sie mir nach ihrem Tod ihre Brüste geschenkt. Darum wurde ich so ein seltsames Wesen. Ein Mann mit einem prächtigen Penis und einem Frauenbusen.

Ich fing an, enge Unterhemden und weite Kleidung zu tragen. Damit niemand die Brüste sieht. Ich hatte Angst, vergewaltigt zu werden. In Schwimmbäder ging ich nicht mehr. Fußballspielen tat ich auch nicht mehr. Ich wollte nicht, dass jemand meine Brüste beim Umziehen entdeckt. Ich zog mich zurück und blieb vor allem zu Hause. Ich sammelte Comics, fing an zu zeichnen und dachte mir Geschichten aus. Immer öfter dachte ich an Selbstmord.

Ich wünschte mir eine Freundin.

Aber wie sollte ich das anstellen?
Noch heute habe ich Angst, ausgelacht zu werden.
Noch heute denke ich, dass Frauen sich vor mir ekeln.
Und dass Männer mich zusammenschlagen wollen.

Frau Schulz, Sie denken vielleicht: Was hat das alles mit der Flucht aus dem Irak zu tun? Nun ... nach meinem Abitur sollte ich zum Wehrdienst eingezogen werden. Im Fernsehen sah ich Soldaten mit nackten Oberkörpern. Wie würden die mich anschauen, wenn ich mit wackelnden Brüsten neben ihnen lief?

Immer wieder hatte ich gehört, wie gut die Chirurgen in Europa sind. Dass sie sehr gute Schönheits-Operationen durchführen können. Das war zwar teuer, aber machbar. Ich wünschte mir so sehr eine glatte Männerbrust.

Meinem Vater teilte ich mit: „Ich möchte studieren, Papa. Ich will ins Ausland!“ Ich wollte arbeiten gehen und genug Geld für die Operation verdienen.
Mein Vater stimmte zu. Ich konnte es kaum glauben.
Er hatte sogar Geld für mich gespart. Ich verstand, warum: Mein älterer Bruder war im Krieg gestorben.
Mein jüngerer Bruder hatte die Geburt nicht überlebt.
„Dich will ich nicht auch noch verlieren“, hatte mein Vater gesagt. „Hau ab!“ Ich fiel ihm vor Glück um den Hals.

Schon am nächsten Tag nahm mein Vater Kontakt mit einem Freund auf. Der wohnte in Paris. Über ihn fand er einen Schlepper.

Das war der Anfang meiner Reise, Frau Schulz.

Asyl, bitte!

Mein Vater gab einem Mann in Bagdad 5000 Dollar. Der kannte sich aus mit Schleppern. Mit dem Geld sollte er meine Reise bis nach Paris organisieren. In Paris sollte ein Freund meines Vaters auf mich warten. Dieser Freund sollte dem Schlepper dort weitere 4000 Dollar zahlen. Doch alles kam anders.

Von Bagdad aus fuhr ich mit dem Auto nach Istanbul. Von dort aus ging es bis zur griechischen Grenze. Außer mir waren sechs Männer, zwei Frauen und drei Kinder dabei. Im Schlauchboot ruderten wir über einen Fluss an der Grenze. Dort trafen wir einen anderen Schlepper, der uns nach Athen brachte. Ich sollte in einen Lastwagen steigen, der mich nach Italien brachte. Von Rom ging es nach Bozen. Dort stieg ich mit anderen in einen Kleinbus. Nach einigen Stunden wurden wir auf irgendeiner Straße ausgesetzt.

„Ihr seid angekommen! Beeilt euch! Da hinten ist der Bahnhof!“, rief der Schlepper. Und weg war er. Keiner wusste, wo wir waren. Um uns herum lagen schneebedeckte Felder. Es war eiskalt. Irgendwo in der Ferne sahen wir Gebäude.

„Ist das Deutschland?“, fragte einer der Jungs.

„Wohl eher Frankreich“, antwortete ich.
„Oh nein, wir haben doch bis München bezahlt!“, sagte der andere.
„Und ich bis Paris!“, sagte ich.

Ich kramte in meinem Rucksack. Mein Vater hatte mir schicke Sachen mitgegeben: eine schwarze Hose, ein schönes Hemd, Socken und Schuhe. Denn ich sollte ja nicht auffallen. Polizisten sollten mich nicht sofort als Flüchtling erkennen.
„Je eleganter du aussiehst, desto sicherer bist du“, hatte auch einer der Schlepper gesagt.

Ich stand unter einem Baum und zog mich um. So allein hatte ich mich noch nie gefühlt. Ich zitterte vor Kälte. An der Landstraße entlang lief ich durch den matschigen Schnee. Nach einer halben Stunde kam ich am Bahnhof an. Trotz meiner Kleidung sprachen mich sofort zwei Männer an. Sie trugen beigefarbene Hosen und grüne Jacken.

„Polizei, Ihren Ausweis bitte!“
Ein paar Augenblicke später klickten Handschellen um meine Handgelenke.
„I am from Iraq. Seeking asylum. Asylum, please“, sagte ich. Diese Worte hatte ich oft geübt.
„Ich komme aus dem Irak. Ich suche Asyl. Asyl, bitte.“ Mehr sollte ich auch erst mal nicht sagen.

Abgesehen von meinem Namen, meinem Alter und meinem Beruf. Das hatten mir mehrere Menschen geraten.

Auf der Polizeiwache wollten zwei Beamte alles Mögliche wissen. An welchen Orten ich auf meiner Flucht gewesen bin zum Beispiel. Ich antwortete nicht. Dann wollten sie wissen, ob ich Geld mitgebracht habe. Ich sagte Nein. Doch das war gelogen: Meine Mutter hatte 500 Dollar in meinen Gürtel eingenäht. Damit ich in meiner neuen Heimat das Nötigste kaufen konnte.

Ich wurde in einen Nebenraum gebracht. Die zwei Polizisten trugen auf einmal Gummi-Handschuhe.
„Na los, ausziehen!“, sagten sie.
„What?“, fragte ich ungläubig.
„Undress. Ausziehen. Jetzt mach hin!“
Widerwillig zog ich mich aus.
Die beiden schauten mich an. In ihren Augen konnte ich sehen, wie sehr mein Busen sie anekelte. Und wie interessant sie ihn gleichzeitig fanden. Der eine Polizist zeigte auf meine Unterhose.
„Die auch!“
Er kam einen Schritt näher und schaute mir streng in die Augen. Ich zog mir die Unterhose aus. Ein Polizist fing an mich zu untersuchen.
Alles erforschte er. Sogar meine Eier.

Zum ersten Mal in meinem Leben schob jemand seinen Finger in meinen Hintern.

Der andere Polizist durchsuchte meine Sachen. Er trennte meinen Gürtel auf. Als würde er das jeden Tag öfter machen. Er entdeckte die 500 Dollar und legte die Scheine auf den Tisch. Er holte meine Geburtsurkunde, den Ausweis, das Abiturzeugnis und vier Schachteln Zigaretten raus. Dann musste ich irgendwas unterschreiben. Sie fotografierten mich und nahmen meine Fingerabdrücke ab.

Dann liefen wir in den Keller. Hinter drei dicken Stahltüren brachte mich ein Polizist in eine Zelle. Ich nahm all meinen Mut zusammen und fragte ihn, wo ich bin:
„Paris?"
Er schaute mich an, als ob ich verrückt wäre.
„Germany, Deutschland. In Dachau!"
Das ist jetzt drei Jahre und vier Monate her, Frau Schulz.

In der Zelle

In der Zelle war alles weiß. Die Wände, die Bettwäsche, der Tisch, der Stuhl. Nur der Knopf an der Wand war rot. Da sollte ich drauf drücken, wenn ich was brauchte. Ich wusste nicht, ob es Tag oder Nacht war. Weil ich Hunger hatte, drückte ich auf den Knopf. Nach langer Zeit kam ein Polizist. Doch der sagte nur, dass ich erst am nächsten Morgen was zu essen bekäme.

Endlich schlief ich. Als ich aufwachte, drückte ich wieder auf den Knopf. Nichts geschah. Irgendwann kam eine Polizistin. Sie brachte mir zwei Käsebrötchen und meinte, die anderen Polizisten hätten mich wohl vergessen. Nach wenigen Bissen wurde mir schlecht. Doch ich schaffte es, etwas zu essen. Langsam kam ein wenig Leben in meinen Körper zurück.

Ein Polizist betrat die Zelle und legte mir Handschellen an. Er zog mich in den Flur und schubste mich vor sich her.

Das Tageslicht tat mir in den Augen weh. Es wehte ein kalter Wind. Auf dem Parkplatz lag Schnee. Ich sollte mich in ein Polizeiauto setzen. Ich sah die sehr ernsten Männer und fragte mich, wohin wir wohl fuhren.

Nach einer Weile sah ich ein Gebäude, das wie ein Gefängnis aussah. Meine Beine zitterten. Mein Herz fing an zu rasen. Ich sah Gitter an den Fenstern. Aber auch Menschen, die frei herumliefen. Viele mit schwarzen Haaren, so wie ich. Keine Wächter.

Ein Polizist brachte mich in ein Zimmer. Zwei Männer begrüßten mich. Einer sagte „Hallo", der andere „As-salamu alaikum". Es war unfassbar schön, Arabisch zu hören. Meine eigene Sprache. Ich kam in ein Wartezimmer. Dort überprüfte ich erst mal meinen Rucksack. Alles war noch drin, sogar mein Gürtel. Nur das Geld und die Zigaretten waren weg. Solche Arschlöcher!

Ich erfuhr, dass ich in München war. In einem Asylantenheim. Und dass das nur eine Zwischen-Station war. Denn in München war alles voll. Ich sollte weiter nach Zirndorf.
„Ich muss nicht ins Gefängnis, oder?", fragte ich.
„Dir steht ein Recht auf Asyl zu", antwortete der Arabisch sprechende Mann.
Du musst aber eine Strafe zahlen. Denn du bist illegal in diesem Land. Darum hat man dir dein Geld weggenommen. Hättest du dich bei der Polizei gemeldet, dann wäre alles einfacher."

„Darf ich telefonieren?", fragte ich.

„Ich will hier nicht bleiben. Ich will weiter nach Paris."
„Mach bitte keine Dummheiten!", antwortete der Mann. „ Die Polizei hat deine Fingerabdrücke abgenommen. Die schicken sie an alle anderen europäischen Länder. Du kannst nirgendwo anders Asyl beantragen. Nur in Deutschland, wo man dich aufgegriffen hat. Deine Reise endet hier. Gewöhn dich an den Gedanken!"

Als er hinauslief, drehte er sich noch einmal um und sagte freundlich:
„Dein Paris heißt jetzt Zirndorf. Telefonieren kannst du von dort aus."

Das Asylantenheim lag auf einer Anhöhe. Dort gab es nur Schotterwege. Keine richtigen Straßen. Jeder bekam erst mal Brötchen, Käse, Apfelsaft und eine Decke. Wir kamen in einen riesigen Saal, der aussah wie eine Art Sporthalle. Auf dem Boden lagen Matratzen. Etwa siebzig Männer lagen dort. Irgendwann hörte ich nur noch Schnarchen und einige herzhafte Pupse.

Ich konnte nicht schlafen. Dies war meine neue Heimat, Frau Schulz. War sie freundlich oder boshaft? Das wusste ich noch nicht. Dann rief eine Stimme meinen Namen.

Es war schon früher Morgen. Ich sollte irgendwelche Papiere unterschreiben. Ein weiteres Mal erkundigte ich mich nach meinem Geld. Aber das war wirklich weg. Genau wie meine Zigaretten. Die waren wohl in den Lungen der Polizisten verschwunden.

Ich bekam eine Fahrkarte, einen Fahrplan und fünf D-Mark Taschengeld. Jemand sagte mir, dass ich nach Bayreuth fahren sollte.
„To Beirut?", fragte ich.
„Bayreuth. Das ist nicht weit", sagte der Beamte, der mich begleitete.

Am Bahnhof konnte ich vom Taschengeld endlich telefonieren. Ich rief den Freund meines Vaters in Paris an. Er war erleichtert, meine Stimme zu hören. Und er versprach mir, meinen Vater anzurufen. Dann legten wir auf. Ich hörte das Freizeichen. Den endlos langen Ton. Er klang wie ein Gerät in einem Krankenhaus, das gerade den Tod eines Menschen festgestellt hat.

Ali, Salim und Rafid

Das Asylantenheim in Bayreuth war groß.
Ich wohnte in einem Zimmer mit drei anderen Männern aus dem Irak: Ali, Salim und Rafid.
Die verschiedenen Gebäude waren alle gleich aufgebaut: Unten gab es ein kleines Zimmer, in dem ein bewaffneter Mann saß. Der kontrollierte die Leute und passte auf. Auf jedem der drei Stockwerke gab es ein Klo, ein Duschbad und eine Küche. Auf dem Gelände gab es auch ein Büro der Caritas. Die Mitarbeiter achteten darauf, dass jeder zu Landsleuten ins Zimmer kam.

Das Asylantenheim war jetzt unser Zuhause. Wir durften uns nicht weiter als dreißig Kilometer davon entfernen. Dieser unsichtbare Zaun hielt uns gefangen.

Es war Mitte Januar. Tag und Nacht schneite es. Tagelang schaute ich vom Zimmer aus nach draußen. Die Schneeflocken stürzten vom Himmel herab. Nachts war es so kalt, dass meine Pobacken zitterten. Mein Penis hatte sich in einer Nacht so weit zurückgezogen, dass pinkeln fast unmöglich war. An das Wetter konnte ich mich einfach nicht gewöhnen. Ich trug viele Kleidungs-Stücke übereinander. Trotzdem fror ich ständig.

Wenn ich durch die Stadt lief, rannte ich alle zwanzig Meter in einen Laden. Zum Aufwärmen. Der beste Ort für uns war ein Einkaufs-Zentrum. Mit so einem warmen Gebläse am Eingang. Arbeiten durften wir ja nicht. Deutsch sprachen wir nicht. Dort konnten wir uns wenigstens die Zeit vertreiben, Frau Schulz. Wir wollten gerne so sein wie die Leute im Einkaufs-Zentrum: Einkaufen, im Café sitzen, mit den jungen Kellnerinnen plaudern. Aber wie sollte das gehen? Wir standen mittendrin. Und doch waren wir ganz weit weg von allem. Die Deutschen gingen einkaufen. Wir wärmten uns an ihrem Leben.

„Hier ist der Termin", sagte der Beamte im Büro des Asylantenheimes. Er überreichte mir einen Zettel. „Am 21. Februar um 8 Uhr 30. Bitte seien Sie pünktlich. Der Staat wird dann überprüfen, ob Sie ein Recht auf Asyl haben."
Es war noch früh am Morgen. Mit dem Zettel in der Hand eilte ich zurück ins Zimmer. Ali, Salim und Rafid hatten gerade Frühstück gemacht: Rührei, Brot und Tee. Ich setzte mich dazu.

„Warum bist du eigentlich geflohen?", fragte mich Salim, während ich ein Stück Brot mit Ei belegte. „Fahnenflucht", antwortete ich kurz.
Ich hatte keine Lust, die Geschichte von meinen

Brüsten zu erzählen. Das verstehen Sie doch, Frau Schulz?
„Willst du hier dein ganzes Leben feststecken?", fragte Rafid. „Dann erzähl denen ruhig die Wahrheit. An deiner Stelle würde ich mir eine andere Geschichte ausdenken."
Er hörte auf zu essen und drehte sich eine Zigarette.

„Fahnenflucht ist kein ausreichender Grund, um hier Asyl zu bekommen", sagte er.
Ich ließ mein Brot mit Ei liegen und nahm mir Papier und Tabak aus Rafids Beutel. Er zündete mir die Zigarette an.

„Es gibt so viele Kriege auf der Welt", fuhr Rafid fort. „Die können ja nicht allen Asyl gewähren, die nicht mitkämpfen wollen. Wenn du denen von deiner Fahnenflucht erzählst, bekommst du höchstens eine Duldung. Damit darfst du zwar außerhalb des Heimes wohnen. Du darfst aber nicht aus Bayreuth weg. Verreisen, studieren und arbeiten ist dann verboten. Ich warte seit zwei Monaten auf den Bescheid. Und ich weiß noch nicht, ob ich bleiben darf oder abgeschoben werde. Ich habe dem Richter die Wahrheit gesagt. Oder eigentlich nur einen winzigen Teil davon. Das war vielleicht der größte Fehler meines Lebens."
„Ein echter Richter?", fragte ich.

„Ein halber Richter", antwortete Rafid. „Das sind Beamte beim Bundesamt für die Anerkennung ausländischer Flüchtlinge. Die treffen die Entscheidungen. Ist mir egal, wie man die nennt. Richter, Henker oder sonst wie. In diesem Land ist alles umständlich. Sogar eine Fahrkarte kaufen ist umständlich. Nicht mal die Deutschen verstehen, welche Karte sie brauchen."

„Sei nicht undankbar", sagte Ali. Er legte seine Hand auf Rafids Schulter und schüttelte ihn warmherzig. „Du kommst hierher und schimpfst die ganze Zeit. Dabei hast du hier ein Dach über dem Kopf bekommen."

„Ein Dach?", meckerte Rafid. „Das nennst du ein Dach? Wir sind hier in einem großen kalten Gefängnis, das Bayreuth heißt!"
Die Stimmung im Raum war plötzlich angespannt. Dann fragte mich Rafid:
„Sag mal, Karim ... Wie bist du eigentlich hierhergekommen?"
„Mit verschiedenen Autos, einem Schlauchboot und einem Schiff", antwortete ich.

„Das darf keiner wissen, ist das klar?", rief Rafid. „Sag denen, dass du in einem Lastwagen hierhergekommen bist.

Dass du zwischendurch nicht in einem anderen Land ausgestiegen bist. Und dass du selber nie wusstest, wo du bist. Nur so hast du hier ein Recht auf Asyl! Du hast in Tüten gepinkelt und geschissen. Und du hast Kniebeugen gemacht, um dich ein bisschen zu bewegen.
Du warst zwischendurch in Rom? Sag das bloß nicht! Dann schicken die dich zurück nach Italien! Und die Italiener schicken dich dann sofort mit einem Polizeiauto nach Deutschland. Und so geht das dann wahrscheinlich Wochen weiter! Oder Monate!"

Rafid machte eine kurze Pause. Dann sah er mich belehrend an.

„Sag denen nie die Wahrheit. Erzähl einfach, dass du ein Gegner der Regierung im Irak warst. Und dass der Staat dich sucht. Wenn er dich findet, musst du ins Gefängnis und wirst hingerichtet. Dann weiß der Richter, dass du nicht mehr zurückkehren kannst."

„Fast alle lügen hier", mischte sich Salim ein. „Vorhin habe ich einen Mann aus Syrien getroffen. Das habe ich daran gemerkt, wie er Arabisch gesprochen hat. Doch der behauptete, dass er aus dem Irak kommt. Der weiß, dass man als Iraker leichter Asyl bekommt."

Ich sollte mir also eine neue Geschichte ausdenken. Alle Namen, Daten und Orte musste ich mir einprägen. Der Richter würde manche Dinge mehrmals fragen. Davor hatten meine Zimmergenossen mich gewarnt. Ich musste wirklich alles auswendig lernen.

Tja, Frau Schulz. Die ganzen Regeln in Deutschland ... die haben mich wirklich fertig gemacht. Ganze Tage lag ich im Bett. Ich musste mir wegen dieser Regeln eine neue Lebens-Geschichte ausdenken.
So ein beklopptes Spiel.
Drei Wochen später hatte ich immer noch keine Geschichte. Mein echtes Leben, meine echte Geschichte erschienen mir plötzlich albern. Dabei hatte ich doch so einiges erlebt. Wie viele Iraker.

Die Verhandlung

Liebe Frau Schulz, zwei Tage vor der Verhandlung lag ich immer noch im Bett. Rafid überredete mich, am Abend ein Bier trinken zu gehen. Ein Iraker aus einem anderen Zimmer hatte uns eingeladen. Ich stimmte zu. Auch Salim kam mit. Und sogar Ali war dabei. Obwohl der eigentlich so gläubig war, dass er keinen Alkohol trinken durfte. Rafid redete den ganzen Abend. Aber es wurde nie langweilig. Er machte ständig lustige Witze.

Muslime und Christen saßen in einem Raum und hatten Spaß. Wir redeten über unsere Gewohnheiten auf der Toilette. Die Christen benutzen Papier zum Abwischen. Muslime waschen sich oft den Hintern mit Wasser aus einer Flasche. Wussten Sie das, Frau Schulz? Irgendwann waren wir alle sehr betrunken. Wir fingen an, Musik auf Kochtöpfen zu machen und zu singen. Dann kamen zwei Wachmänner rein.

„Hausordnung! Be quiet!“, riefen sie. Für ein paar Augenblicke waren alle still. Dann trommelte Rafid leise auf den Topf und rief: „Hausordnung quiet!“ Immer lauter wurde er. Er fing an zu hüpfen und zu tanzen. Alle machten mit. Dann war das Licht aus. Die Wachmänner hatten uns den Strom abgestellt.

Wir gingen zurück in unser Zimmer. Salim und Ali legten sich sofort schlafen.
„Ich hatte einen Mitschüler in der Oberschule", erzählte ich Rafid. „Der wurde festgenommen, weil er ein einziges Mal die Regierung verspottet hat. Wäre das eine gute Geschichte?"
„Sehr gut!", erwiderte Rafid. „Damit könntest du den Richter überzeugen!"

In der Nacht vor der Verhandlung konnte ich nicht schlafen. Ich stand vor unserem Haus und rauchte in der Kälte. Ich hatte die ganze Geschichte aufgeschrieben. Geburtstag, Einschulung, Wohnort und so weiter ... das alles waren meine echten Daten. Die Geschichte von meinem Mitschüler habe ich einfach nur eingebaut.

Um 8 Uhr 30 hatte ich meinen Termin. Ich war eine Viertelstunde früher da. Ich wusste: In diesem Raum sitzt jemand, der gleich über meine Zukunft entscheiden wird. Ein Dolmetscher stellte sich vor. Dann durfte ich eintreten.

Ich hatte mir das ganz anders vorgestellt. Wie in einem echten Gericht. Mit vielen Stuhlreihen für Zuschauer. Mit Polizisten und einem Richter mit Holzhammer. Doch das hier war nur ein einfaches Zimmer.

Ich sah einen Tisch, ein paar Stühle und Aktenordner in einem Regal. Vor dem Fenster hing ein großer gelber Vorhang.

Der Dolmetscher setzte sich neben mich. Der Richter grüßte mich mit einem schnellen „Grüß Gott". Er schaltete ein Diktiergerät ein, das er auf den Tisch legte.

„Bayreuth, 21. Februar 2001. Bundesamt für die Anerkennung ausländischer Flüchtlinge. Geschäfts-Zeichen 2656761563. Anhörung im Rahmen des Asylverfahrens. Nachname: Mensy. Vorname: Karim. Geboren am: 12. Juni 1981. Geburtsort: Bagdad."

Dann fing er leise an, mit dem Dolmetscher zu reden. Ich konnte nichts verstehen.
„Wir beginnen. Sind Sie bereit?", fragte der Dolmetscher nach einer Weile.
Mein Mund war trocken. Ich konnte meine Zunge kaum bewegen. Ich nickte.

In den nächsten 80 Minuten erzählte ich die ganze Geschichte. Ich beantwortete viele Fragen. Alles wollten sie wissen: Welche Sprachen ich spreche. Wo meine Eltern wohnen. Ob ich Verwandte in Europa habe. Ob ich wirklich Iraker bin.

Und als Beweis: Wie viele Kinos es in Bagdad gibt. Wo der Flughafen ist und wo sich die Universität befindet.

Dann erzählte ich von „meiner“ Festnahme. Eigentlich war das ja die Geschichte meines Mitschülers. Doch ich hatte sie mir sozusagen geliehen.

Saddam Hussein war in der Zeit ständig im Fernsehen. Von morgens bis abends. Viele hatten gar keine Lust mehr, ihn zu sehen.
Unser Lehrer jedoch verehrte Hussein. Im Sozialkunde-Unterricht sprachen wir oft über ihn. Zum Beispiel über seine Reden, warum er was wann gesagt hat.

Eines Tages meinte unser Lehrer:
„Wie schade, dass man nicht auch im Mathematik-Unterricht über den Präsidenten reden kann.“

Mein Mitschüler hatte damals geantwortet:
„Wir können eine neue Formel erfinden:
Saddam: S1.
Seine Frau: S2.
S1 + S2 = das Kind/das Volk KV3.
Das heißt, der Irak ist eine Null.“

Das war natürlich alles nur Quatsch. Ein Witz. Doch unser Lehrer fand das gar nicht lustig, Frau Schulz. Mein Mitschüler wurde festgenommen. Danach hat ihn niemand mehr gesehen. Jetzt erzählte ich diese Geschichte, als ob ich mir diese Formel ausgedacht hatte. Als ob ich gerade noch geflüchtet war, bevor man mich festnehmen konnte.

Ich hatte auf Rafids Rat gehört. Denn ich erzählte auch, dass ich mich in einem Lastwagen versteckt hatte. Und dass ich zwischendurch nie ausgestiegen war.

Am Ende meiner Geschichte schaltete der Richter das Diktiergerät aus. Dann musste ich unterschreiben, dass ich alles verstanden hatte.

Warten und träumen

„Charab Almanya!“ Wissen Sie, was das bedeutet, Frau Schulz? Das sagt ein Iraker, wenn er schlechte Laune hat. Wörtlich übersetzt heißt es: „Möge Deutschland zerstört sein!“ Woher der Ausdruck kommt, weiß ich nicht. Soweit ich weiß, hatten der Irak und Deutschland nie viel miteinander zu tun. Trotzdem hörten wir früher in Fernsehserien schlechte Dinge über Ihr Land. Und als Kind habe ich natürlich alles nachgeplappert.

„Charab Almanya“ habe ich jedoch kaum benutzt. Auch später nicht. Ich habe sowieso nie so viel geschimpft in meinem Leben. Doch in der Zeit nach der Verhandlung war das anders. Ich konnte ja nur warten. Warten auf das Ergebnis der Verhandlung.

Ich wusste, dass die Entscheidung lange dauern konnte. Monate. Vielleicht sogar Jahre. Doch an jedem Wochentag wartete ich auf den Hausmeister. Der war nämlich gleichzeitig unser Postbote. Montags, mittwochs und freitags kam er zwischen 8 und 14 Uhr. Dienstags und donnerstags zwischen 13 und 18 Uhr. Dann wartete ich auf ihn in meinem Zimmer. Einen eigenen Briefkasten hatten wir ja nicht.

Das Gesicht des Hausmeisters sah immer gleich aus. Es zeigte eine Mischung aus genervt, gehetzt und müde. Die Gesichter der Asylanten konnten sehr unterschiedlich aussehen. Je nachdem, welche Art von Brief der Hausmeister überbrachte. Manche strahlten vor Freude. Andere waren verzerrt vor Schmerz. Hoffnungsvoll wartete ich jeden Tag auf den grünen Umschlag, der über mein Gesicht bestimmen würde.

Wir waren wie ein Haufen nervöser Vögel, Frau Schulz. Manche warteten auf ihre Verhandlung. Andere warteten auf das Ergebnis ihres Asylantrages. Wir langweilten uns und hatten Streit wegen irgendwas. Manche wurden verrückt. Ein Mann rief die Polizei an. Er dachte, dass seine Mitbewohner vom Geheimdienst sind. Ein anderer bekam die schlechte Nachricht, dass sein Asylantrag abgelehnt wird. Er zerknüllte den Brief und fing laut an zu schreien. Danach zerschlug er die Möbel in seinem Zimmer, bis seine Hände bluteten.

Ich träumte damals oft von schönen Dingen.
Ich träumte von meiner schönen Zukunft mit Aufenthalts-Erlaubnis. Als freier Mensch. Dann würde ich einen Arzt finden, der mir eine flache Brust schenkt. Ich würde enge Kleidung tragen können und stolz durch die Stadt laufen.

Ich würde an der Universität studieren und eine hübsche Freundin finden.

Ich träumte von einem guten Job. In einem Büro, von dem aus ich über die Dächer der Stadt schauen kann. Von einem guten Gehalt. Und davon, dass ich meine Eltern aus dem Irak holen würde. Unsere Gesichter würden glücklich und friedlich sein. Wie die von Kuscheltieren.

Im Heim gab es fast jede Stunde Streit. Immer wieder behauptete einer, dass jemand was von seinem Essen gestohlen hätte. Jeder bekam ja ein Paket mit Essen vom Staat. Oder einer beleidigte die Frau oder Mutter eines anderen. Dann folgten Schlägereien oder sogar Messerstiche. Es war immer viel los. Und trotzdem war uns furchtbar langweilig.

Eigentlich wünschte ich mir Kontakt mit Deutschen. Doch die einzigen Deutschen, die wir trafen, waren die Wachmänner und Polizisten. Alle anderen kamen uns vor wie aus einem Märchenland. Wir sahen hellhäutige Menschen in dicker, warmer, schöner Kleidung. Saubere Kinder, hübsche Mütter und stolze Väter.
Ich versuchte zu verstehen, was sie sagten. Doch ich hörte nur „Sch ... schi ... ch ... cho ...“.

Die Geräusche klangen wie ein Radio, bei dem der Sender nicht richtig eingestellt ist.

Ach ja, und die Mitarbeiter von der Caritas trafen wir fast täglich. Die brachten Kleidung, Zeitschriften, Geschirr und andere Dinge. Allerdings meist zuerst für die Familien. Danach kamen sie zu uns unverheirateten Männern.

Dann kam der regnerische Tag im April, an dem der Hausmeister an die Tür klopfte. Er übergab mir einen grünen Umschlag. Ich dachte: Gleich weiß ich, ob ich in Deutschland bleiben darf oder nicht. Den Text im Brief verstand ich nicht. Ich eilte zu Rafid. Sein Deutsch war gut genug, um den Text zu verstehen.

„Oh je, ein grüner Brief", sagte Rafid. „Das ist die Farbe des Propheten Mohammed und der mächtigsten deutschen Behörden."

Im Brief stand jedoch nur, dass wir am nächsten Tag verlegt werden würden. Wohin, das stand nicht drin. Übrigens hatten viele diese Mitteilung erhalten. Würden wir zusammen verlegt werden? Oder würde jeder woanders hinkommen? Wir wussten es nicht.

„Das ist vielleicht unser letzter gemeinsamer Abend", sagte Salim. Er kochte sehr gern.

Vieles aus unseren Esspaketen aßen wir nicht: Salami, Nudeln oder Fertig-Gerichte. Salim tauschte dann immer was und zauberte daraus leckere Gerichte. Auch an diesem Abend. Wir sprachen kaum miteinander. Was würde uns erwarten?

Endstation

Am nächsten Tag saß ich mit 22 Männern und drei Frauen im Bus. Wir wussten immer noch nicht, wohin die Fahrt ging. Wir fragten den Begleiter im Bus. Der hatte auch keine Ahnung. Das behauptete er jedenfalls. Nach einer zweistündigen Fahrt mussten erst die Frauen aussteigen. Ihr Wohnheim stand mitten auf dem Land. Ein paar hundert Meter weiter stiegen vier Männer aus. Nur die Iraker blieben im Bus zurück.

Nach einiger Zeit sah ich in der Ferne eine kleine Stadt. Sie war umgeben von einer traumhaften Landschaft mit Bergen. „Endstation Niederhofen an der Donau“, rief der Busfahrer.

Erst mussten Ali und Salim aussteigen. Sie kamen mit ein paar anderen Männern in ein Haus. Rafid, drei Jungs und ich kamen in ein anderes. Das Haus war ein normales Wohnhaus. Vier Stockwerke hoch. Wir wohnten in einer WG im dritten Stock. Als wir sie betraten, waren wir überrascht. Dort standen ein Sofa, ein Tisch, zwei Betten und ein Fernseher. In der Küche gab es sogar Geschirr. Vor uns hatten hier wohl ziemlich ordentliche Personen gewohnt.

Das Zentrum der Stadt lag ganz in der Nähe.

Dort trafen wir Salim und Ali wieder. Wir schauten uns Niederhofen gemeinsam an. Dort gab es Fachwerkhäuser, verwinkelte Gassen, eine Burg auf einem Hügel. Wir sahen Cafés und Kneipen, viele junge Leute, eine Universität. Auch einige Dönerbuden gab es. Das war ein gutes Zeichen. Niederhofen war ein schöner, lebendiger Ort.

Unsere Nachbarn im Haus nannten wir schon bald die H&M-Bande. Die drei Männer klauten nämlich ständig Kleidung. Sie trugen Jacken aus Kunstleder und hatten viel Gel in den Haaren. Um den Hals trugen sie Modeschmuck. Die geklaute Ware verkauften sie auf der Straße für die Hälfte. Sogar Freundinnen hatten die drei.

Mit der Bande hatten wir ständig Krach. Und ich gebe zu, Frau Schulz ... ich war oft eifersüchtig. Sie hatten Geld und Frauen.

Und hier in Niederhofen traf ich auch Sie, Frau Schulz. Irgendwie sahen Sie ständig gestresst und genervt aus. Als ob Sie immer Ihre Tage haben. Mit Krämpfen im Unterleib. Sprach jemand Ihren Namen aus, dann hatten alle sofort schlechte Laune. Sie sind ja für alles zuständig, was unser Leben erleichtert oder erschwert:
Aufenthalts-Erlaubnis, Ausweis, Arbeit,

Abschiebungs-Bescheid, Taschengeld, Bescheinigungen für den Arzt ...
Bei Frau Richter ist das übrigens ganz anders. Ihre Kollegin haben wir richtig gern. Sie versucht nämlich, wirklich eine Lösung für Probleme zu finden. Bei ihr ist alles leichter. Sie lächelt uns an. Und sie hat etwas, was andere nicht haben: Verständnis.
Bei Ihnen und anderen Beamten heißt es nur: „Das ist das Gesetz!“ Oder: „Kommen Sie nächste Woche wieder!“ Hat einer Ihrer Kollegen Krach mit seiner Frau? Oder sitzt ihm ein Furz quer? Dann haben wir Ausländer ein Problem.
Jeder Besuch in Ihrer Behörde ist ein Glücksspiel. Wir ziehen eine Wartenummer. Und dann hoffen wir, dass wir zu Frau Richter ins Zimmer kommen. Davon hängt ab, ob wir Dinge erledigt bekommen oder nicht.

Ich rege mich zu sehr auf, Frau Schulz. Ich drehe mir noch einen Joint. Ist das in Ordnung?

Wir sahen auch noch andere Deutsche. Zum Beispiel den Hausmeister, der zwei Mal in der Woche zu uns kam. Er brachte uns die Post und unser Esspaket. Manchmal reparierte er was. Aber wenn seine Arbeitszeit vorbei war, ließ er sofort alles stehen und liegen.

Ab und zu kamen Polizisten vorbei. Wurde irgendwo was gestohlen? Dann suchten sie zuerst bei uns danach.

Die wichtigsten Deutschen waren für uns jedoch die Wochenend-Besucher. Die standen samstags und sonntags vor unserer Tür. Oder sie warteten in der Nähe, bis einer von uns aus der Haustür kam.

Wochenend-Besucher haben Geld. Sie tragen teure Kleidung, gehen in Restaurants und trinken Cocktails. Ihre Wohnungen sehen aus wie Paläste. In ihren Schlafzimmern steht ein riesiges Bett. Wenn sie uns Flüchtlinge sehen, haben sie einen besonderen Blick in den Augen. Als wären wir ein saftiges Stück Fleisch, auf das sie Appetit haben.

Ich bin nie mit Wochenend-Besuchern mitgegangen. Mir wurde sofort klar, was sie von uns wollten. Auch sah ich schnell, dass es drei Arten gab:

1. Drogendealer, die neue Mitarbeiter suchten.
2. Ältere Damen und Herren, die mit jungen Ausländern ins Bett wollten.
3. Zuhälter, die Männer und Frauen für ihre Kunden suchten.

Mein Mitbewohner Khaled ging gerne mit alten

Damen und Herren mit. Darum hatte er ständig viel Geld. Damit konnte er seine Freundin zum Pizza-Essen einladen. Er übernachtete regelmäßig woanders.

Ein anderer Mitbewohner ging samstags weg und kam erst dienstags wieder. Dann hatte er einen neuen Haarschnitt, eine Lederjacke oder schicke Schuhe. Er erzählte vom Sex mit einer Frau. Dass er sich erst überwinden musste.
„Wenn man die Augen schließt und den Unterleib kreisen lässt, ist es gar nicht so schlecht", sagte er. „Ich würde sogar mit der alten Schachtel zusammenwohnen. Alles ist besser als hier zu verschimmeln."

Eigentlich merkte man schnell, wer mit Wochenend-Besuchern mitging: Konnte sich jemand jede Woche ein Bier oder einen Döner leisten? Dann wusste man: Der verdient sich was dazu.

Irgendwann hielt plötzlich ein sehr teures Auto neben mir. So ein schönes Auto hatte ich noch nie aus der Nähe gesehen. Es musste ein echter Ferrari sein. Der Mann am Steuer sah merkwürdig aus: bleich, aber mit Rouge auf den Wangen. Sein Alter konnte ich nur schwer schätzen.

Seine Zähne blitzten wie Porzellan. Sein Haar war blond, fast gelb. Es sah unecht aus. Genau wie sein Bart und seine Augenbrauen.

Er trug einen weißen Anzug aus edel glänzendem Stoff. In die Brusttasche hatte er ein rosafarbenes Seidentuch gesteckt. Auf dem Sitz neben ihm saß eine kleine Katze. Ihr Fell glänzte wie frisch geölt. Ihr rotes Halsband aus Leder war mit Edelsteinen besetzt. Das Vieh sah gelangweilt aus.

„Ich bin's. Steig ein!", rief der Mann mir zu.
„Ich habe für unser Treffen bezahlt!"
Ich verstand nicht, was er meinte.
„Khaled", sagte er.
„Was Khaled?", fragte ich und lief weiter.
Der Mann fuhr mit seinem Auto langsam hinter mir her. Bis zum Asylantenheim.

Ich rannte schnell hoch und rief Khaled an.
„Es gibt hier einen Mann, der mich verfolgt!
Er meint, er hat dich bezahlt."
„Der mit dem Ferrari?", fragte Khaled. „Das ist Wolfram Maria von Richthausen. Jeder kennt ihn. Der hat unendlich viel Geld."
„Ist mir scheißegal!", rief ich. „Was will der von mir?"
„Karim, es tut mir leid. Ich brauchte das Geld. Der Mann hat dich mal auf der Straße gesehen.

Und seitdem will er dich mit nach Hause nehmen. Ich habe dich an ihn verkauft."
„Ich bring dich um, Khaled!", brüllte ich ins Telefon.

Richthausen verfolgte mich fast sechs Wochen lang. Überall in der Stadt tauchte er auf. Ich hatte irgendwie Angst vor ihm, obwohl ich viel stärker war als er. Doch er war bestimmt einflussreich. Und ich war ja nur ein Asylant. Dann ließ er mich plötzlich in Ruhe.

Danach sah ich ihn nur noch ein Mal, Frau Schulz. Und zwar auf einem Foto in der Zeitung.
„Iraker gesteht Mord", stand über dem Foto. Schnell las ich den Artikel. Khaled hatte wohl Sex mit Richthausen. Für Geld. Aber Richthausen hat nicht gezahlt. Daraufhin haben sich die beiden gestritten. Khaled ist durchgedreht und hat Richthausen mit einem Küchenmesser erstochen. Ich konnte es nicht glauben.

Traumjob

Manche von uns verkauften ihre Körper für Sex. Andere klauten Sachen oder fingen an Drogen zu verkaufen. Wer das nicht wollte, musste mit 80 Mark im Monat auskommen. So wie ich, Frau Schulz. Richtig arbeiten durften wir ja nicht. Es gab nur eine Möglichkeit, ein bisschen mehr Geld zu bekommen: Integrations-Jobs.

Das waren Jobs, für die man pro Stunde nur eine Mark bekam. Meistens musste man dann putzen oder kleine Garten-Arbeiten erledigen. Aber nicht mehr als 80 Stunden im Monat. Das bedeutete: Mehr als 80 Mark zusätzlich waren nicht drin.

Es gab zwei Gründe, warum ich mitgemacht habe: Ich habe mich furchtbar gelangweilt. Und ich konnte das Geld gut gebrauchen, um Zigaretten zu kaufen. Ich hatte keine Lust mehr, in Kneipen nach Zigaretten-Stummeln zu suchen. Wissen Sie noch, dass ich zu Ihnen gekommen bin? Sie haben vielleicht gestaunt. Sogar gelächelt haben Sie, Frau Schulz. Das erste und das letzte Mal. Bestimmt hatten Sie danach Muskelkater. Diese Muskeln zum Lächeln benutzen Sie ja fast nie.

Sie gaben mir eine Stelle als Müllsortierer.

„Das Trinkgeld ist gut. Die Leute sind großzügig“, sagten Sie.
Der Wertstoff-Hof lag am Stadtrand. In einem Wohncontainer konnte man die Pausen verbringen. Ein Klo und eine kleine Küche gab es auch. Ich sollte den Müll sortieren: Papier, Bio, Plastik, Glas, Bauschutt, Elektro-Schrott, Kleidung, Schuhe und so weiter.

Nur ein paar Wörter und Sätze musste ich lernen: „Wo soll das hin? Danke. Bitte. Hallo. Auf Wiedersehen.“

Ich musste mit ansehen, was alles weggeworfen wurde. Auch Sachen, die man noch benutzen konnte. Bestimmt die Hälfte konnte man noch reparieren. Ich musste nicht nur sortieren, sondern auch den Kunden helfen. Sie brachten ihre Sachen zum Wertstoff-Hof. Ich nahm ihnen Taschen und Kisten ab. Dann verteilte ich alles auf die Container.

Die Kunden gaben mir tatsächlich gute Trinkgelder. Für meine nette Art. Manchmal hatte ich am Ende des Tages fünf oder sogar sieben Mark. Einmal bekam ich sogar 20. Das war von Wolfram Maria von Richthausen.

Die Arbeit war ein Traumjob. Ich bekam Trinkgeld.

Und ich konnte ab und zu etwas mitnehmen. Aber nur, wenn bestimmte Mitarbeiter nicht da waren. Ich nahm einen Kassetten-Rekorder mit, sogar einen kleinen Fernseher. Im Heim waren manche Flüchtlinge neidisch auf mich. Denn ich war recht gut angezogen. Und einmal in der Woche leistete ich mir einen Döner.
Von Montag bis Donnerstag arbeitete ich fünf Stunden am Tag. Den Rest der Woche hatte ich frei. Ich ging zum Beispiel mit meinen Mitbewohnern spazieren. Und ich wartete auf das Ergebnis meines Asylantrages.

Dann kam mein erster Sommer in Deutschland. Die Sonne schien öfter. Touristen liefen durch die Stadt. Noch immer vergingen meine Tage schrecklich langsam. Ich wartete und wartete. Bis der August kam. Da änderte sich plötzlich alles. Auf dem Wertstoff-Hof teilte man mir mit, dass ich nicht mehr kommen brauche. Es gab einen neuen festen Mitarbeiter. Ich war völlig niedergeschlagen.

Sofort kam ich hierher, zur Ausländer-Behörde. Einer Ihrer Kollegen versprach, einen neuen Job für mich zu suchen. Das ist jetzt etwa zwei Jahre her. Aber zwei Wochen nach der Kündigung brauchte ich auch keinen Integrations-Job mehr. Denn ich bekam den grünen Brief, auf den ich so lange gewartet hatte. Minutenlang starrte ich auf den Umschlag. Dann öffnete ich ihn. Mein Asylantrag wurde anerkannt.

Ich hatte großes Glück: Der Bescheid kam noch vor dem 11. September 2001. Nach den Anschlägen kamen kaum noch grüne Umschläge. Als ob die Richter vorläufig nichts mehr entscheiden wollten.

Ich bekam einen blauen Reisepass, wie ihn alle Asylbewerber bekommen. Damit durfte ich alle Länder der Welt besuchen. Außer den Irak natürlich. Meine Aufenthalts-Erlaubnis war erst mal zwei Jahre gültig. Ich freute mich auf ein Leben als freier Mann. Als ob ich aus dem Gefängnis entlassen wurde. Arbeiten durfte ich nur in Deutschland. Aber wo sollte ich auch hin? Ich kannte nur den Freund meines Vaters in Paris. Aber eine Reise dorthin war zu teuer.

Innerhalb eines Monats musste ich aus dem Asylantenheim raus. Ich brauchte einen Job, eine Kranken-Versicherung und eine Wohnung.
Und einen Sprachkurs wollte ich machen.
„Das freut mich“, sagte der Mitarbeiter beim Arbeitsamt. „Sie müssen aber erst ein Jahr arbeiten und Steuern zahlen. Danach zahlen wir Ihnen einen Sprachkurs.“

„Aber wie soll ich einen Job finden, wenn ich kaum Deutsch spreche?", fragte ich. Rafid war mitgekommen, um alles zu übersetzen.

Der Mitarbeiter bot mir einen Job bei Burger King an. „Es ist nur Teilzeit, aber für den Anfang ist das genau das Richtige für Sie", sagte er.
„Ich hätte lieber einen anderen Job, wenn das irgendwie geht", antwortete ich.
„Waren Sie im Irak berufstätig?", fragte er.
„Ich war Schüler, habe mein Abitur gemacht und bin dann geflohen", antwortete ich.
„Wenn Sie jetzt noch nicht arbeiten wollen, ist das auch in Ordnung", sagte der Mitarbeiter. „Doch dann müssen Sie sich selbst um alles kümmern. Wir sind dann nicht für Sie zuständig. Sie müssen zum Sozialamt."

Beim Sozialamt traf ich auf einen eigenartigen Mitarbeiter. Er war etwa 30 und hatte ein sehr bleiches Gesicht. Er lächelte nicht, schaute nicht böse oder genervt. Er hatte die ganze Zeit denselben Ausdruck im Gesicht. Völlig ohne jedes Gefühl.

Ich nahm ein paar Formulare mit nach Hause, die auch Rafid kaum verstand. Irgendwann hatten wir es geschafft, alles auszufüllen.

Ich brachte die Formulare zu meinem bleichen Mitarbeiter im Sozialamt. Der teilte mir ein Zimmer in einem Heim für Obdachlose zu. Und ich bekam 380 Mark. Monatlich. Das alles sollte nur eine Übergangs-Lösung sein.

Der 11. September 2001

Ich kaufte mir sofort ein Handy und eine Prepaid-Karte. Ich rief meine Familie in Bagdad an. Ihnen erzählte ich, dass ich schon einen Job und eine tolle Wohnung gefunden hatte. Und dass ich mit meinem Studium anfangen würde. Dann war mein Guthaben aufgebraucht. Mitten im Gespräch wurde die Verbindung unterbrochen.

Ich glaubte dem bleichen Mann vom Sozialamt wirklich, dass das alles eine Übergangs-Lösung war. Ich dachte: Ich finde eine richtige Arbeit, lerne Deutsch und gehe studieren. Das war leider ein großer Irrtum. Mein Abitur aus dem Irak war in Deutschland nämlich nicht gültig. Ich sollte erst das deutsche Abitur nachholen. Das würde ein Jahr dauern. Dazu musste ich aber erst eine Zulassungs-Prüfung machen.

Für diese Zulassungs-Prüfung brauchte ich jedoch ein Sprach-Zeugnis. Um das zu bekommen, musste ich mindestens ein Jahr lang zum Sprachkurs gehen. Der kostete viel Geld. Erst dann konnte ich mit dem deutschen Abitur anfangen. Und erst nach dem bestandenen Abitur konnte ich studieren. Das alles würde also Jahre dauern. Auf einmal freute ich mich gar nicht mehr.

Im Obdachlosen-Heim gab es ständig Streit. Dort wohnten Ausländer wie ich und Drogen-Abhängige. Viele saßen nur vor dem Haus und soffen Bier. Sie schlugen sich und schrien sich an. Schon nach wenigen Tagen wusste ich: Hier muss ich so schnell wie möglich weg. Also bemühte ich mich, Frau Schulz. Ich ging jeden Tag zum Arbeitsamt. Sogar bei Burger King wollte ich arbeiten. Doch dann kam der 11. September und alles wurde anders. Auch ein Job bei Burger King war für mich nicht mehr drin.

Ich erinnere mich genau an den Tag. Ich machte gerade einen Mittagsschlaf. Da hämmerte jemand an die Tür. Rafid stürmte einfach in mein Zimmer.
„Mach den Scheiß-Fernseher an!“, schrie er.
„In Amerika ist was passiert!“
Noch wusste keiner, was los war. Wir sahen, dass zwei Flugzeuge in zwei Hochhäuser reingeflogen waren. Ein Unfall? Ein Anschlag von Terroristen?

Frau Schulz, Rafid und ich hatten schon viel erlebt. Doch wir hatten wirklich keine Ahnung von der Welt.

„Ich freue mich für die Amerikaner“, sagte Rafid.
„Endlich erleben sie das auch mal.“
Ich konnte ihn verstehen. Am Anfang hatte ich kurz dasselbe Gefühl.

Wissen Sie, wir kannten von den Amerikanern nur ihre Kampf-Flugzeuge. Ihre Raketen und Bomben. Das haben sie in unsere Heimat gebracht. Nichts anderes.

Dann wurde klar, dass in den Flugzeugen ganz normale Menschen gesessen hatten. Und dass in den beiden Hochhäusern ganz normale Menschen gearbeitet hatten. Keine Soldaten oder Mitarbeiter vom Geheimdienst. Ich wurde furchtbar traurig. Und ich schämte mich dafür, dass ich mich wie Rafid über die Anschläge gefreut hatte. Noch heute schäme ich mich dafür.

Nach dem 11. September waren alle Arabisch sprechenden Leute verdächtig. Ich konnte das nicht glauben. Was hatte ich mit Terroristen zu tun, die sich irgendwo in den Bergen Afghanistans versteckten? Schon wenige Zeit später sollte ich mich bei der Polizei melden. Ich wurde in einen kleinen Raum geführt. Wissen Sie, was mir am meisten Angst machte? Der Gedanke, dass ich mich wieder ausziehen muss. Dass auch diese Polizisten meine Brüste sehen. Dass sie mir wieder ihren Finger in den Arsch stecken.

Nach ein paar Minuten kamen drei Männer ohne Uniform ins Zimmer. Einer war Dolmetscher.

Ich sollte alle Fragen ehrlich beantworten. Die Männer versicherten mir, dass ich nicht verdächtig bin. Sie stellten fast dieselben Fragen wie damals bei der Verhandlung, als ich den Asylantrag gestellt hatte. Dann befragten sie mich zu meiner Religion. Ob ich mit Terroristen zusammenarbeite. Ob ich die Absicht habe, mit Terroristen zusammenzuarbeiten. Ob ich Bomben-Anschläge verübt habe oder das noch vorhabe.

„Nein, nein, nein!", rief ich.
Dann fragte mich einer, ob ich mit dem deutschen Staat zusammenarbeiten möchte.
„Ich bin ein höflicher Mensch", sagte ich.
„Und ich helfe gern. Aber als Spion arbeite ich nicht."
Dann bekam ich eine Liste. Darauf standen 44 Organisationen und Parteien aus der ganzen Welt. Ich musste ankreuzen, ob ich Kontakte zu ihnen habe oder sie befürworte. 44 Mal kreuzte ich Nein an. Dann durfte ich gehen.

Ich merkte, dass ich vorsichtiger wurde. Am Telefon sprach ich nicht über Politik oder Religion. Über den 11. September redete ich schon gar nicht. Das war eine aufregende Zeit. Oder, Frau Schulz? Irgendwie drehten alle durch. Manche Flüchtlinge bekamen ganz plötzlich doch eine Aufenthalts-Erlaubnis. Dann war klar: Die beschaffen für den deutschen

Staat Informationen über andere Flüchtlinge.

Die Menschen wurden misstrauisch gegenüber Fremden. In den Buchläden lagen plötzlich Bücher über Terroristen. Im Fernsehen erzählten Araber, wie gefährlich der Islam sein kann. Diese Leute sprachen gut Deutsch und waren plötzlich überall. Und sie verdienten gut damit.

Die Welt drehte durch. Die Menschen drehten durch. Nicht nur wir Muslime waren verdächtig. Auch jeder Koffer, der irgendwo rumstand. Und jeder zweite Mülleimer.

Das alles führte dazu, dass manche von uns wirklich fanatisch wurden. Ganz normale gläubige Muslime, die auf einmal auf der Seite der Terroristen standen. Auch mein ehemaliger Mitbewohner Ali. Sie schimpften auf die Amerikaner, die Araber, die Muslime, die Christen und sogar auf mich. Und ich? Ich machte es mir gemütlich. Mit Bier aus der Dose, Erdnüssen und einem Film.

Zeitarbeit

Eigentlich waren nur noch Rafid und ich übrig. Salim war nach München gezogen. Ali redete nur noch über seinen Glauben und schimpfte auf alles und jeden. Unser erstes Silvester in Deutschland feierte ich also nur mit Rafid.

Mit Bier und Wodka zogen wir durch die Straßen. Noch vor Mitternacht war alles alle. Trotzdem wollten wir noch eine Flasche Bier kaufen. Die wollten wir Punkt Mitternacht zerschmettern. Leider waren alle Geschäfte geschlossen.

Rafid fiel ein, dass Tankstellen auch nachts geöffnet sind. Es war fast Mitternacht. Er quatschte einfach irgendein Mädchen an, das auf einer Mauer saß.
„Schöne Frau, wo ist die nächste Tankstelle?“, fragte er.
Sie lächelte.
„Was willst du denn jetzt mit einer Tankstelle? Die sind alle zu weit weg. Das schaffst du nicht mehr vor zwölf Uhr.“

Der Abend endete damit, dass Rafid mit dieser Frau nach Hause ging. Ich lief alleine zurück zum Obdachlosen-Heim. Am nächsten Tag erzählte mir Rafid wunderbar romantische Dinge.

Die Frau hatte blaue Augen und eine schöne weibliche Figur. Zwei Wochen lang war er unendlich glücklich. Dann musste die Frau wieder nach London, wo sie studierte.

Sie blieben noch eine Weile miteinander in Kontakt. Doch irgendwann meldete sie sich einfach nicht mehr. Vielleicht war ihr das doch alles zu anstrengend. Und Rafid hatte kein Geld. Er durfte weder arbeiten noch reisen. Wochenlang wollte er niemanden mehr sehen. Er war vom Leben enttäuscht. In dieser Zeit fing Rafid an zu schreiben.

Ich suchte weiterhin nach einem Job und rief Salim an. Vielleicht konnte der mir einen Tipp geben. Er riet mir, mich bei einer Zeitarbeits-Firma zu bewerben.
„Was ist das denn?“, fragte ich.
„Eine Zeitarbeits-Firma findet einen Arbeitsplatz für dich. Die verleihen dich an andere Unternehmen, wenn die kurzfristig jemanden brauchen. Dafür bekommen sie ein bisschen von deinem Gehalt. Aber du bekommst eben neue Jobs.“

Der Mitarbeiter beim Arbeitsamt gab mir drei Adressen. Ziemlich schnell fand ich eine Firma, die mich haben wollte. Seit dem 1. Januar 2002 gab es den Euro.

Ich sollte 4,50 Euro pro Stunde verdienen. Das waren etwa neun Mark. Nach ein paar Tagen bekam ich tatsächlich meinen ersten Job. Ich musste Eisenplatten in eine Maschine stecken. Die anderen Arbeiter waren kräftige Männer, die ich nicht verstand. Sie sprachen Bayerisch oder kamen aus Ost-Europa. Jeden Abend kehrte ich erschöpft ins Obdachlosen-Heim zurück. Ich wollte da so gerne weg.

Nach vier Monaten suchte ich mir eine Wohnung. Ich schaute mir Anzeigen in der Zeitung an. Doch egal wo ich anrief, alle fragten sofort nach meiner Herkunft. Dann beendeten sie das Gespräch oder drucksten rum. Nach sieben Wochen durfte ich mir endlich eine Wohnung anschauen. Ein Zimmer, 360 Euro im Monat. Sie lag zwischen einem Baumarkt und einem Supermarkt. Mitten im Industrie-Gebiet. Doch ich mietete sie.

Ich bekam eine andere Arbeitsstelle in einer Shampoo-Fabrik. Ich musste nur Flaschen auf einem Förderband richtig hinstellen. Stundenlang. Nach neun Wochen war mein Job dort vorbei. Ich hatte einen kranken Mitarbeiter vertreten, der wieder gesund war.

Danach bekam ich einen Job in einer Reinigungs-Firma. Jeden Tag putzte ich den Flur eines Krankenhauses.

Am Abend waren die Büros einer Zeitung und einer Versicherung dran. Liebe Frau Schulz, ich wurde jeden Tag dümmer. Das Gefühl hatte ich zumindest. Jeder Tag war gleich: Arbeiten, erschöpft nach Hause kommen, essen, fernsehen, schlafen. Nur am Wochenende unternahm ich mal was mit Rafid.

Ich hatte noch nichts für meine Operation gespart. Auch meine Familie in Bagdad hatte noch keinen Cent von mir bekommen. Mit meinem niedrigen Einkommen schaffte ich das einfach nicht. Doch ich wollte unbedingt ein ganzes Jahr arbeiten. Denn ich wusste: Dann bezahlt das Arbeitsamt meinen Sprachkurs.

Nach über zwei Jahren in Deutschland hatte ich es geschafft. Ich kündigte meinen Vertrag bei der Zeitarbeits-Firma und ging zum Arbeitsamt. Sie können ruhig ein bisschen stolz auf mich sein, Frau Schulz. Das schafft nicht jeder.

Krieg im Irak

Endlich konnte ich zum Sprachkurs. Ich freute mich sehr. Und ich nahm mir vor, alles tadellos zu machen. Ich hatte mir ein Heft gekauft, ein paar Bleistifte, einen Radiergummi, einen Spitzer und einen Rucksack. Jeden Morgen wachte ich um sieben Uhr auf. Dann machte ich mich zurecht und fuhr mit dem Bus in die Schule. Ich war ein richtiger deutscher Schuljunge.

Nur die Schule war nicht in einem richtigen Schulgebäude. Der Kurs fand in einer ehemaligen Scheune statt. Die gehörte zu einem Bauernhof am Stadtrand. 17 Schüler waren in dem Kurs. Es waren vor allem ältere Leute. Viele kamen aus der vormaligen Sowjetunion. Jeden Tag hatte ich sechs Stunden lang Unterricht. Ich lernte, was Adjektive und Präpositionen sind. Und vieles mehr. In den ersten zwanzig Tagen war ich der beste Schüler. Ich hatte ja auch zwei Jahre lang auf den Kurs gewartet.

Dann begann der Krieg im Irak. Die Amerikaner kämpften gegen Saddam Hussein und seine Anhänger. Ich war mit meinen Gedanken woanders. Frau Schulz, ich machte mir Sorgen um meine Familie in Bagdad. Nach ein paar Jahren mussten sie schon wieder einen Krieg erleben.

Manchmal machte ich meine Hausaufgaben nicht mehr. Die Lehrerin nannte mich einen „faulen Sack".

Auch Rafid war verwirrt. Das war er sonst nie.
„Was sollen wir tun, Karim?", fragte er mich.
„Die erste Möglichkeit ist: Wir ertragen Saddam Hussein, der uns kaputt macht. Die andere Möglichkeit: Wir verbünden uns mit den USA, die unser Land kaputt machen. Wir sollen wählen zwischen Scheiße und Scheiße!"

Zum ersten Mal in unserem Leben gingen wir auf eine Demonstration. Mit hunderten Menschen gingen wir auf die Straße, um auf die Amerikaner zu schimpfen. Dort waren so einige Asylanten. Schon bald gab es Streit. Manche waren für die Amerikaner, andere dagegen. Ein Asylant spuckte Rafid ins Gesicht. Wir fuhren nach Hause und schalteten den Fernseher an.

In den Nachrichten war ein Autor aus dem Irak zu Gast. Er lebte wie wir in Deutschland.
„In diesem Krieg werden viele Iraker ihr Leben verlieren", sagte er. „Aber nach dem Krieg werden noch mehr Iraker frei leben können. Ohne Saddam Hussein."

So dachten fast alle Iraker in Niederhofen.

„Aber keiner will daran denken, dass auch Mitglieder der eigenen Familie sterben können", meinte Rafid. Es war eine schwierige Situation.

Bomben fielen auf Bagdad. Sie zerstörten Brücken und Stromzentralen. Jeden Tag guckte ich Nachrichten. Ich versuchte meine Eltern zu erreichen. Vergeblich. Ich starrte auf den Fernseher und dachte nur:
„Hoffentlich fallen die Bomben nicht auf das Viertel, in dem sie wohnen."

Dann lernte ich Lada kennen. Im Supermarkt sprach sie mich an:
„Du im Deutschkurs, oder?"
Ich stand da bei den Knabbersachen, als ich sie zum ersten Mal sah. Da stand sie vor mir, ihre zweijährige Tochter an der Hand. Lada ist eine unheimliche Schönheit. Sie ist ein bisschen größer als ich, sehr schlank, hat kurze blonde Haare. Ihre Augen sind tiefbraun, und ihre Haut schimmert weiß.

„Kommst du morgen? Kurs?", fragte sie.
„Ja, super", antwortete ich.
Am nächsten Morgen kam sie direkt zu meinem Platz. Sie küsste mich auf die Wange und setzte sich neben mich. Seitdem war ich verknallt.

Lada kommt aus der Sowjetunion. Ihr Vater fuhr einen Lastwagen der Marke „Lada“. Den liebte er über alles. Also gab er seiner Tochter diesen Namen. Eigentlich wollte Lada gar nicht weg. Doch in ihrem Land gab es ständig Unruhen. Ihr Mann Dimitri wollte deswegen weg. Lada bekam eine Aufenthalts-Erlaubnis, weil sie sich gefälschte Papiere besorgt hatte. Da stand drauf, dass sie jüdische Wurzeln hat. Sie hatte mitbekommen, dass sie dann in Deutschland bleiben darf.

Viele Menschen aus der Sowjetunion hätten ihre Papiere gefälscht, erzählte Lada. Dafür mussten sie allerdings tausende Euros zahlen. Ladas Leben ist nicht einfach. Sie kümmert sich um ihr Kind, lernt Deutsch und arbeitet. Ihr Mann Dimitri trinkt den ganzen Tag Bier und Wodka. Er sitzt nur auf der Couch rum.

Lada hatte etwas in meinem Herzen bewegt, Frau Schulz. So hatte ich mich noch nie gefühlt. Es war wie bei einer neuen Sportart: Wenn man Muskelkater an Stellen bekommt, die man nie zuvor bemerkt hat. Ich wollte einfach alles tun, um Lada glücklich zu machen.

Lada

Eines Tages gingen Lada und ich nach dem Unterricht spazieren. Wir liefen am Ufer der Donau entlang. Der Himmel verfärbte sich langsam rosa. Der Fluss plätscherte vergnügt.

Ich spürte, dass sie ein wenig abwesend war.
„Ist alles in Ordnung?“, fragte ich.
„Dimitri hat mich gestern geschlagen“, antwortete sie und fing an zu weinen. Sie schob ihr T-Shirt hoch und zeigte mir riesige blaue Flecke.
„Mit seinem Gürtel“, sagte Lada. „Weil er glaubt, dass du und ich etwas miteinander haben.“
Ich küsste den blauen Fleck an ihrem Schlüsselbein. Dann trafen sich unsere Lippen.

Ich weiß nicht, wie ich unsere Beziehung nach diesem Kuss beschreiben soll. Alles war wirr. Dimitri war immer in der Wohnung, wenn ich zum Deutschlernen kam. Das war unsere Ausrede, um einander sehen zu können. Literweise soff Dimitri Bier und Wodka. Ich sollte jedes Mal mittrinken. Gegen 20 Uhr schlief er immer ein. Wie ein liebevoller Vater trug ich ihn jedes Mal ins Bett. Er war dünn und nicht gerade groß. Dann war ich alleine mit Lada, die dann gerade ihre Tochter ins Bett gebracht hatte.

Ich hatte noch nie mit einer Frau geschlafen, Frau Schulz. Eigentlich wollte ich ihr das sagen. Aber ich war zu stolz. So sehr ich Lada auch anfassen wollte, meine Brüste machten mich unsicher und ängstlich. Wir haben erst mal nur geknutscht und ein bisschen gestreichelt. Sie bemerkte meine ungeübten Hände. Darum bestimmte sie, wo es langging.

Ich trug immer ein enges Unterhemd. Das drückte meine Brüste flach. Wenn wir uns berührten musste ich immer sehr aufpassen. Einmal wollte mir Lada das Hemd ausziehen. Ich schlug etwas zu heftig ihre Hände zurück.
„Was ist?", fragte sie.
„Ich will nicht darüber reden", antwortete ich.
„Hast du Narben? Ich habe mir das schon gedacht."
„Ja", log ich. „Ich wurde im Knast gefoltert."

Ich wollte ihr so gerne alles erzählen. Wie mir diese verdammten Brüste gewachsen waren. Wie sie mein Leben beeinflusst haben. Aber ich konnte es nicht, Frau Schulz. Ja, auch hierfür schäme ich mich. Sogar doppelt: Nicht nur für meine Brüste. Sondern auch dafür, dass ich mir die Geschichte vom Foltern ausgedacht habe. Nur, um meine eigene Geschichte nicht erzählen zu müssen.

Ich weiß nicht, warum ich mich so um Dimitri kümmerte.
Er war faul, brutal, soff den ganzen Tag und schlug Lada. Am liebsten hätte ich ihn mit einem Kissen erstickt. Ich konnte ihn nicht ausstehen.

An einem Freitagabend hatte ich ihn gerade ins Bett getragen. Da riss er plötzlich seine Augen auf, die vom Saufen ganz rot waren.
„Ich will kein schwarzes Kind, hast du verstanden?", sagte er.
Dann drehte er sich um und schlief weiter.

Lada lag auf dem Sofa. Ihren Kopf hatte sie unter einem Kissen versteckt. Ich setzte mich zu ihr.
„Dimitri weiß von uns?", fragte ich.
„Ich glaube schon", antwortete Lada. „Er liebt mich. Und ich ihn. Er ist mein Mann und der Vater meines Kindes."
„Und was bin ich?", fragte ich. Ich zog das Kissen von ihrem Gesicht und streichelte ihre kurzen Haare.
„Du bist betrunken", antwortete sie.
„Lada, ich meine es ernst. Was bin ich für dich?"
„Keine Ahnung, lass mich. Wenn es dir nicht gefällt, kannst du ja gehen. Du bist wirklich ein Schwächling."

Ohne Vorwarnung warf ich mich auf sie.

Ich legte meine Hand um ihren Hals und drückte zu. Sie wand sich und versuchte, sich zu befreien. Ich drückte ihren Kopf fester ins Kissen. Sie schlug mich. Ich schlug zurück. Dann streckte sie mir ihren Mund entgegen. Wir küssten uns fest. Ich schob ihr Kleid hoch. Wie ein wildes Tier zerriss ich ihre Unterhose. Ich war erregt wie noch nie in meinem Leben.

Frau Schulz, tausend Gefühle vermischten sich in mir. Ich packte Lada und drehte sie um. Von hinten machte ich sie mit meiner Zunge nass. Dabei schob ich einen Finger in ihren Hintern. Dann machte ich meine Hose auf und spuckte auf meinen Penis. Langsam schob ich ihn in Ladas Po. Ich hatte einen Orgasmus, noch bevor ich ganz in ihr drin war. Dann weinte ich. Vor Scham, vor Einsamkeit, vor Freude, vor Stolz, vor Schmerz, vor Trauer, vor Liebe. Lada befriedigte sich selbst. Wir blieben noch lange auf dem Sofa liegen. Fest umschlungen.

Nach dem Abend fühlten wir uns beide befreit. Ich lernte schnell, was ihr im Bett gefiel. Ich lernte, wie ich länger durchhalten konnte. Dann dachte ich zum Beispiel an Sie, Frau Schulz. Das wirkte Wunder.

In der Zeit fühlte ich mich wie betäubt.

Ständig suchte ich nach Ablenkung. Tagsüber ging ich in die Schule.
Nachmittags schaute ich die Nachrichten.
Manchmal trank ich Wodka mit Dimitri. Dann hatte ich Sex mit seiner Frau Lada. Dann guckte ich wieder Nachrichten. Ich sah, wie Bomben auf Bagdad fielen. Alles fand gleichzeitig statt.

Der Krieg war schneller entschieden, als wir dachten. Schon nach gut zwei Wochen. Die große bekannte Statue von Saddam Hussein in Bagdad wurde abgerissen. Rafid und ich sahen es in den Nachrichten. Wir umarmten uns und weinten. Ein paar Wochen später war der Krieg auch wirklich vorbei.

Nach drei Monaten mit Lada wurde alles anders. In einer Nacht hatte ich das Gefühl, dass mich jemand mit dem Auto verfolgt. Ich stieg in den Bus und fuhr zu meiner Wohnung. Dort stand dasselbe Auto. Vier Männer stiegen aus. Sie sprachen Russisch. Erst stießen sie mich zu Boden. Dann schlugen sie auf mich ein, bis ich bewusstlos wurde.

Als ich aufwachte, tat alles weh. Ich konnte gerade noch eine SMS an Lada schicken.

Am nächsten Tag stand sie vor meiner Tür.

„Ach du meine Scheiße! Geht es dir gut? Hör zu, Karim. Ich will nicht, dass du als Leiche endest. Meinen Mann werde ich nicht verlassen. Unsere Beziehung endet hier. Das ist besser für uns alle. Wir hatten unseren Spaß. Und ich muss jetzt zur Arbeit. Pass auf dich auf."

Dann verschwand sie im Treppenhaus. Ich habe sie nie wiedergesehen. Gestern habe ich ihr geschrieben, dass ich weggehe. Nach Finnland. Ich will auswandern, Frau Schulz. Entschuldigen Sie, ich muss mal nachschauen, ob Lada sich endlich gemeldet hat ... Nein. Die blöde Kuh! Sie weiß doch, dass ich heute das Land verlassen werde.

Ich vermisse sie sehr. Ihre Lippen, ihr Lächeln, ihre Tränen, ihre Härte. Ich sollte nicht mehr an sie denken.

Widerruf

Eines Tages lag ich auf meiner Couch. Es war ein Samstag. Ich stand auf, um meine Post zu holen. Das Postfach war voll mit Werbung und Rechnungen. Dazwischen versteckte sich ein grüner Umschlag. Ich wurde sofort nervös. Denn ein grüner Umschlag bedeutet: Post von einer wichtigen Behörde.

Mein Herz raste. Im Brief steckte ein langer Text. 20 Seiten auf Deutsch und Arabisch. Der Widerruf meines Asylantrages.

Und warum? Weil die Situation im Irak viel besser geworden ist. Und weil es deswegen keinen Grund mehr fürs Asyl gibt. Das stand jedenfalls im Brief. Dabei ist das Blödsinn.

Im Irak fallen täglich Bomben. Die Leute erschießen sich gegenseitig. In meinem Land bekriegen sich die mächtigen Länder der Welt. Und Verrückte.
Ich versuche, meine Familie dort wegzuholen.
Und jetzt soll ich selber zurückkehren? Die deutschen Behörden können mich genauso gut hier erschießen. Dann muss ich wenigstens nicht warten, bis eine Bombe mich zerfetzt.
Das ganze Wochenende war ich völlig fertig.

Schnell war klar: Ich würde bald meinen Pass abgeben müssen. Dann würde ich vielleicht noch eine Duldung erhalten. Aber irgendwann würde ich wahrscheinlich doch gehen müssen.

Rafid

Rafid hörte auf Witze zu machen. Durch den Krieg war er sehr ernst geworden. Er rauchte eine Zigarette nach der anderen. Ich dachte immer: Wir zwei kennen uns gut und sind beste Freunde. Doch ich kannte nur Rafids Leben in Deutschland. Über seine Vergangenheit weiß ich nicht viel.

Ich bin mir sicher: Ohne Kriege und ohne Flucht aus dem Irak wäre Rafid berühmt geworden. Wissen Sie, dass wir ihn immer „Bleistift" nannten? Er trug nämlich immer einen Bleistift hinterm Ohr. Ganze Hefte schrieb er voll.
„Du darfst es lesen, wenn es fertig ist", hat er immer gesagt. Aber es wurde nie fertig.

Es war auch sehr schwierig für ihn, in Deutschland zu schreiben. Er hatte keine Bücher auf Arabisch, in denen er Dinge nachschlagen konnte. In Niederhofen konnte man solche Bücher auch nicht kaufen.

Und wissen Sie, Frau Schulz ... diese Bücher waren für Rafid auch viel zu teuer. Vor zwei Jahren hatte Ihre Behörde seinen Asylantrag abgelehnt. Er durfte also nicht arbeiten. Denn er hatte ja nur eine Duldung.

„Eigentlich begehe ich eine Straftat", hatte Rafid mal gesagt. „Denn ich arbeite ja an meinem Buch. Sechs bis acht Stunden täglich. Wenn es fertig ist, muss ich bestimmt in den Knast. Weil ich heimlich gearbeitet habe."
Tja, da hatte Rafid noch seinen Humor, den wir alle so mochten.

Rafid entdeckte, dass er in der Sparkasse ins Internet kam. Da stand ein Computer im Vorraum. Den durfte man kostenlos benutzen. Da war immer ziemlich viel los. Ein Freund erklärte Rafid, wie er den Computer benutzen musste. Das war alles gar nicht so einfach, wegen der arabischen Buchstaben und so. Manchmal wartete Rafid zwei Stunden, bis er dran war.

Ich wusste so wenig über Rafid. Er hatte mal gesagt, dass er dem Richter „die Wahrheit erzählt hatte". Und dass das sein größter Fehler war. Aber welche Wahrheit war das? Keiner wusste irgendwas Genaues.

Rafid wollte so gerne studieren, arbeiten. Doch mit einer Duldung war das alles nicht möglich. Er wehrte sich gegen die Ablehnung des Asylantrages. Er nahm sogar Kontakt mit einem Anwalt auf. Doch nichts half.

Er versuchte trotzdem einen Studienplatz zu bekommen. Doch die Universität erlaubte das nicht. Rafid hatte ja keine Aufenthalts-Genehmigung.

Er kam einfach nicht weiter. Irgendwann fing er an, merkwürdige Dinge zu tun. Einmal warf er Steine an eine Kirche. Dabei rief er:
„Hier versteckt sich der Teufel!"
Er aß kaum noch was und nahm zehn Kilo ab. Seine Augen sahen anders aus. Sie funkelten so, als ob er ständig irgendwelche Gestalten sieht. Rafid fing an, anderen Angst einzujagen und sie zu beleidigen. Er behauptete, alle Iraker in Niederhofen seien Spione.

Rafid hatte den Verstand verloren. Er traute niemandem mehr. Überall hörte er Stimmen und sah Dinge, die es nicht gab. Er dachte, dass ihn irgendjemand überwacht. Oft sprach er vom Teufel und vom Weltuntergang.

Ich wollte ihm so gerne helfen. Darum ging ich zur Caritas. Ich wollte, dass Rafid sofort behandelt wird. Frau Schulz ... wissen Sie, was die Mitarbeiterin dort sagte?
„Ich weiß, dass er Hilfe braucht. Aber wir können nur was tun, wenn er eine Straftat begeht."
Tja, und das tat er. Er kam mit einem Messer hier in die Ausländer-Behörde. Zu Ihnen, Frau Schulz.

Um Sie umzubringen. Jetzt wissen Sie bestimmt, von wem ich rede.

Rafid ist jetzt in der Psychiatrie. Dort gilt er als gefährlich. Er bekommt zig Medikamente. Wochenlang durfte ich ihn nicht besuchen. Dann durfte ich endlich hin. Ich wollte mich von ihm verabschieden. Rafid saß in einem Rollstuhl. Eine Pflegerin schob ihn ins Besucherzimmer.

„Guten Tag, mein Freund. Ich bin es, Karim. Rafid, Bruderherz", sagte ich. Doch Rafid schaute nur auf den Boden. Sein Kopf wackelte. Sein Gesicht war blass. Seine Hände zitterten leicht. Unter seinen Augen hatte er dunkle Ringe. Als ob er tagelang nicht geschlafen hatte.

Ich konnte meine Tränen nicht zurückhalten, Frau Schulz. Ich erzählte Rafid über Saddam Hussein, der sich noch irgendwo versteckt hielt. Ich erzählte ihm, dass schon viele Asylanten einen Widerruf bekommen hatten.

Ich erzählte ihm, dass er nicht zurückgeschickt werden kann:
„Du hast Glück, lieber Bleistift. Weil du krank bist, darfst du hierbleiben."
Und ich erzählte ihm auch von meinem Widerruf.

Den hatte ich von Ihnen bekommen, Frau Schulz.
Wissen Sie das noch?

Dann war die Besuchszeit vorbei.
„Ruh dich gut aus, mein lieber Bleistift. Hoffentlich sehen wir uns bald wieder."
Das war es.

Draußen musste ich mich erst mal hinsetzen. Ich war erschöpft und weinte. Auf der einen Seite spürte ich eine tiefe Traurigkeit. Und auf der anderen Seite war ich froh, dass ich Rafid noch einmal gesehen hatte.

Abschied

Eine Woche später packte ich meine Sachen in meinen Rucksack. Ich ließ alles hinter mir: die Wohnung, die Freunde, die Bekannten, die Donau, die Asylanten, die Behörde, die Polizisten. Ich fuhr zu Salim nach München. Dort dachte ich darüber nach, wie ich hier wegkomme. Ich fing an, schwarz zu arbeiten. Von morgens bis abends habe ich auf einer Baustelle geschuftet. Ich habe Steine, Metall und Rohre geschleppt. 3500 Euro habe ich so gespart. Das Geld brauchte ich, um hier wegzukommen.

Ein Schlepper wird mich nach Finnland bringen, Frau Schulz. Dort bin ich sicher. Finnland tauscht keine Fingerabdrücke mit anderen Ländern Europas aus. Dort kann ich einen neuen Asylantrag stellen. Ich kann ein neues Leben beginnen.

1000 Euro habe ich dem Schlepper schon bezahlt. Hoffentlich verarscht der mich nicht. Heute um Mitternacht geht es los. Dann holt er mich ab. Den Rest des Betrages bekommt er von Salim, wenn ich in Finnland angekommen bin.

Es ist gar nicht schwer, einen Schlepper zu finden. Wussten Sie das, Frau Schulz?

Als Asylant merkt man schnell, wo man sich aufhalten muss. Ich brauchte nur zur Moschee in der Goethestraße zu gehen. Dort ist auch der Kulturverein. Da kann man Tee trinken, Spiele spielen und reden. So findet man Leute, die einem Schwarz-Arbeit vermitteln. Oder Schlepper. Oder Heirats-Vermittler. Ein Mann hatte sich dort eine Frau aus der Heimat bestellt.

Frau Schulz, ohne diese Gauner wäre ich längst verrückt geworden. Ich hätte nichts erreicht. Und ich hätte keine Hoffnung mehr, eine neue Heimat zu finden.

In den letzten Wochen hatte ich oft Angst, dass die Polizei mich erwischt. Ich habe ja keine Aufenthalts-Erlaubnis mehr. Ganz München hat sich für mich wie ein Gefängnis angefühlt.

Eigentlich wollte ich schon vor drei Wochen bei Ihnen vorbeikommen, Frau Schulz. Ich wollte mich von meinen Freunden in Niederhofen verabschieden. Und von Ihnen, Frau Schulz. Doch auf dem Bahnhof in München liefen überall Polizisten herum. Sie prüften die Gesichter aller Leute. Mein Freund Salim stand in der Haupthalle. Von dort aus telefonierte er mit mir. Er schaute, von welchem Gleis aus mein Zug fahren würde.

Und wo die Polizisten gerade herumliefen.

„Ich bin's", sagte Salim. „Als ob die Bullen wissen, dass du hier bist! Sie denken nicht daran, den Bahnsteig zu verlassen."
Ich setzte mich an einen Tisch und las Zeitung. Das war eine gute Tarnung. Meistens beachten die Polizisten einen dann nicht.

Irgendwann sah ich eine Gruppe Fußballfans. Sie rannten grölend durch die Bahnhofshalle. Dann klingelte mein Handy wieder.
„Dein Zug ist eingefahren! Los, beeil dich! Gleis 24!", rief Salim durchs Telefon.
Ich rannte los. Dabei fühlte ich mich beobachtet. Ich war mir sicher, dass ich jeden Moment überwältigt werden würde.

Dann entdeckte ich Salim. Er stand am Bahnsteig. Zwei Männer überprüften gerade seine Papiere. Ich rannte am Bahnsteig vorbei und traute mich nicht, mich umzusehen.

Vielleicht war es besser so. Wäre ich in diesen Zug gestiegen, dann hätte mein Plan vielleicht nicht geklappt. Vielleicht wären Polizisten eingestiegen, die mich kontrolliert hätten.
Wissen Sie ... im Bus oder in der Bahn habe ich mich oft neben Deutsche gesetzt.

Dann habe ich versucht, ein Gespräch anzuknüpfen. Das ist gut für mein Deutsch. Aber in der letzten Zeit habe ich das immer seltener gemacht. Ich hatte keine Lust mehr, über diese Dinge zu reden: meine Vergangenheit, meine Herkunft, den 11. September, meinen Glauben ...

Niemand macht sich Gedanken über mein heutiges Leben. Über die Schwierigkeiten mit der Aufenthalts-Erlaubnis. Die Probleme in der Ausländer-Behörde. Darüber, wie die Polizisten uns Ausländer behandeln.

Drei Jahre und vier Monate habe ich hier gelebt, Frau Schulz. In Dachau, Zirndorf, Bayreuth, Niederhofen und München. Es geschah viel in der Zeit. Aber nichts, worauf ich stolz bin.

Ich habe es probiert. Ich habe versucht, genug Geld zu verdienen für meine Brust-Operation. Doch in den letzten Jahren habe ich nicht genug verdient. Mein Hausarzt hat mich zu einem Psychiater überwiesen. Der hat festgestellt, dass meine Brüste eine Belastung für mich sind. Doch die Krankenkasse will die Operation trotzdem nicht zahlen.
„Brüste sind doch keine Krankheit“, war die Begründung.

6000 Euro brauchte ich. Aber mit meinem Stundenlohn konnte ich nichts sparen. Ich dachte: Wenn ich das Abitur schaffe und studieren kann, bekomme ich auch einen besseren Job. Aber so weit ist es ja nicht gekommen. Und Sie wissen, warum. Sie haben mir den Widerruf geschickt. Auf einen Schlag war jede weitere Hoffnung dahin. Und jetzt habe ich immer noch diese Brüste.
Schauen Sie mal ...

Ich habe meine Heimat verlassen, weil ich ein normaler Mann werden wollte. Aber das bin ich noch immer nicht. Noch immer habe ich diese verdammten Brüste. Ich war nicht auf der Universität, sondern im Obdachlosen-Heim. Ich habe mich nicht mit Studenten und Professoren abgegeben, sondern mit Kriminellen. Und jetzt? Jetzt stehe ich wieder am Anfang.

Was würden Sie an meiner Stelle tun, Frau Schulz? Ich habe ja keine Wahl. In Bagdad konnte ich nicht bleiben. In Deutschland darf ich nicht bleiben. Wer weiß, ob ich überhaupt bis Finnland komme. Den Schleppern ist nicht zu trauen. Nach Frankreich habe ich es ja auch nicht geschafft. Ach, wissen Sie was? Ich will einfach nur nach Hause. Ich halte das nicht mehr aus. Ich drehe uns noch einen Joint, ja?

Wo sind Sie?

„Karim, wach auf!“
Wer redet da mit mir? Ach, Salim.
„Lass mich, Salim! Du nervst!“
Die blöden Joints.
„Steh jetzt auf! Seitdem du bei mir in München bist, kiffst du ja nur noch! Ich habe was zu essen gemacht.“

Was ist mit mir los? Mein krankes Hirn. Wo ist Frau Schulz? Ich habe doch gerade noch mit ihr geredet. Lange. Über alles.

Alles ist gut. Alles wird gut. Halt! "Frau Schulz! Wo sind Sie? Sind Sie abgehauen? Wir sind doch noch nicht fertig!"

Ich schwöre bei Allah und allen Arschlöchern des Himmels:
"Frau Schulz, irgendwann werde ich Sie erwischen und ohrfeigen!"

Wörter-Liste

Seite 7: Irak
Ein Land in Asien, in dem es schon viel Krieg und Unruhen gegeben hat.

Seite 8: Joint
Eine Zigarette mit der Droge Cannabis oder Haschisch.

Seite 8: kiffen
einen Joint rauchen

Seite 9: Terrorist
Jemand, der mit Gewalt etwas erreichen will. Terroristen ist es egal, ob Menschen getötet werden. Wenn Sie zum Beispiel eine Bombe zünden oder mit Gewehren um sich schießen.

Seite 9: Asylant
Jemand, der aus seinem eigenen Land geflohen ist und woanders leben möchte. Die Flucht kann verschiedene Gründe haben: Zum Beispiel ein Krieg im eigenen Land. Oder weil der Asylant eine andere politische Meinung hat als die Regierung.

Seite 9: muslimisch
Jemand, der dem Islam angehört.

Seite 10: Bagdad
Die Hauptstadt des Iraks.

Seite 14: Comics
Eine Geschichte, die mit gezeichneten Bildern erzählt wird.

Seite 15: Wehrdienst
Die Zeit, in der man man sich beim Militär zum Soldaten bzw. zur Soldatin ausbilden lässt.

Seite 15: Chirurg
Ein Chirurg ist ein Arzt, der Operartionen durchführt.

Seite 16: Paris
Die Hauptstadt von Frankreich.

Seite 16: Schlepper
Jemand, der Flüchtlinge heimlich in ein anderes Land bringt.

Seite 17: Istanbul
Eine große Stadt in der Türkei.

Seite 17: Athen
Die Hauptstadt von Griechenland.

Seite 17: Rom
Die Hauptstadt von Italien.

Seite 17: Bozen
Eine Stadt im Norden Italiens.

Seite 20: Dachau
Eine Stadt in Bayern. Von 1933 bis 1945 gab es in Dachau ein Konzentrations-Lager. Dort wurden im Auftrag von Hitler viele Menschen ermordet.

Seite 22: As-salamu alaikum
Eine Begrüßung auf Arabisch. Wörtlich:
„Friede sei mit Dir".

Seite 22: illegal
Etwas ist illegal, wenn es durch ein Gesetz verboten ist

Seite 24: D-Mark
Vollständiger Name: „Deutsche Mark". Im Alltag sagte man auch einfach „Mark".
Bevor es den Euro gab, hieß das Geld in Deutschland Mark. Eine Mark war ungefähr so viel wert wie 50 Euro-Cent.

Seite 24: Bayreuth
Eine Stadt in Bayern.

Seite 24: Beirut
Die Hauptstadt des Landes Libanon.

Seite 25: Caritas
Eine kirchliche/katholische Hilfs-Organisation.
Die Caritas berät zum Beispiel Arbeitslose oder Menschen mit anderen Problemen. Sie hilft auch Behinderten, Familien und Flüchtlingen.

Seite 26: Beamter
Jemand, der beim Staat angestellt ist. Ein Polizist ist zum Beispiel ein Beamter, eine Richterin oder eine Lehrerin auch.

Seite 26: Fahnenflucht
Will ein Soldat die Aufträge seiner Armee nicht mehr ausführen? Wenn er deswegen flüchtet, begeht er Fahnenflucht.

Seite 27: Duldung
Ein Flüchtling bekommt eine Duldung, wenn er ins Heimatland zurückgeschickt werden soll. Derjenige hat also keine Aufenthalts-Erlaubnis bekommen.
Er weiß: In Kürze muss ich Deutschland verlassen.

Seite 28: Bundesamt für die Anerkennung ausländischer Flüchtlinge
Diese Behörde entscheidet, ob ein Asylant in Deutschland bleiben darf.

Seite 31: Be quiet!
Englisch für: „Seid still!“; „Ruhe!“

Seite 32: Dolmetscher
Ein Mensch, der in einem Gespräch zwischen zwei Sprachen übersetzt.

Seite 33: Diktiergerät
Ein Gerät zum Aufnehmen von Gesprächen.

Seite 33: Geschäfts-Zeichen
Lange Kette von Zahlen und/oder Buchstaben. Ämter und Unternehmen erfinden solche Zeichen, weil sie dann bestimmte Akten schneller finden.

Seite 34: Saddam Hussein
Er war der Präsident des Irak. Er regierte das Land, ohne auf sein Volk zu hören. Hussein wurde zum Tode verurteilt, weil er viele Menschen ermordet hat.

Seite 34: Sozialkunde-Unterricht
Im Sozialkunde-Unterricht spricht man über Politik, Wirtschaft, Recht und Gesellschaft.

Seite 39: Prophet Mohammed
Er hat die Religion des Islam gegründet. Der Prophet lebte vor etwa 1500 Jahren.

Seite 41: WG
Die Abkürzung für Wohn-Gemeinschaft.

Seite 42: Dönerbuden
Kleine Imbiss-Stände, an denen man Döner kaufen kann.

Seite 42: H&M
Die Abkürzung für Hennes & Mauritz, ein Kleidungs-Geschäft.

Seite 42: Tage
Ein anderes Wort für Menstruation. Die Blutungen, die eine Frau etwa einmal im Monat hat.

Seite 44: Cocktail
Ein Getränk mit Alkohol aus mehreren Zutaten.

Seite 44: Drogendealer
Jemand, der Drogen verkauft.

Seite 44: Zuhälter
Jemand, der Frauen oder Männer für Sex an andere „verkauft".

Seite 45: alte Schachtel
Ein nicht sehr nettes Wort für „alte Frau".

Seite 48: Muskelkater
Die Schmerzen, die man in den Muskeln bekommt, wenn man zu lange Sport gemacht hat.

Seite 51: 11. September 2001
An diesem Tag fanden mehrere Anschläge in den USA statt. Terroristen flogen unter anderem in zwei bekannte Hochhäuser in New York. Etwa 3000 Menschen starben. Die Terroristen gehörten der Organisation „al-Qaida“ an.

Seite 54: Prepaid-Karte
Eine Karte mit Guthaben fürs Handy.

Seite 56: Afghanistan
Ein Land in Asien, in dem es viel Krieg und Unruhen gibt.

Seite 58: fanatisch
Wenn jemand sich sehr verbissen für etwas einsetzt.

Seite 58: Islam
Eine Religion. Weltweit gibt es etwa 1,6 Milliarden Anhänger. Man nennt sie Muslime. Sie glauben an Allah und lesen den Koran.

Seite 63: Sowjetunion
Ein Staat, den es zwischen 1922 und 1991 gab. Zur Sowjetunion gehörten zum Beispiel das heutige Russland, Litauen und Georgien.

Seite 63: Adjektiv
Ein Eigenschafts-Wort. Zum Beispiel: klein, freundlich, schlau.

Seite 63: Präposition
Ein Verhältnis-Wort. Zum Beispiel: für, wegen, trotz, statt, dank, hinter, bis.

Seite 64: Autor
Jemand, der ein Buch oder einen Artikel geschrieben hat.

Seite 66: jüdisch
Jemand, der der jüdischen Religion angehört.

Seite 67: Donau
Großer Fluss in Europa. Fließt von Süd-Deutschland in Richtung Osten. Der Fluss mündet an der Grenze zwischen Rumänien und der Ukraine ins Schwarze Meer.

Seite 67: Schlüsselbein
Ein Knochen an der Schulter.

Seite 68: Knast
Ein anderes Wort für Gefängnis.

Seite 70: Orgasmus
Der Höhepunkt beim Sex.

Seite 73: Widerruf des Asylantrags
Wenn jemand seine Aufenthalts-Genehmigung wieder abgeben muss. Die Behörde hat dann festgestellt, dass es keinen Grund mehr fürs Asyl gibt. Zum Beispiel weil es im Heimatland des Flüchtlings keinen Krieg mehr gibt.

Seite 78: Psychiatrie
In der Psychiatrie beschäftigen sich Ärzte mit geistigen Krankheiten.

Seite 80: schwarzarbeiten
Wenn man arbeitet, ohne Steuern zu zahlen.

Seite 81: Moschee
Dort gehen Muslime hin, um miteinander zu beten und zu reden.

Seite 82: Bullen
Ein Schimpfwort für Polizisten.

Seite 85: Allah
Kann als Name für den Gott der Muslime stehen. Ist aber auch allgemein das arabische Wort für Gott.